U0064687

我變成一隻噴火龍了！mini

國家圖書館出版品預行編目（CIP）資料

我變成一隻噴火龍了! mini / 賴馬文.圖.
-- 第一版. -- 臺北市：親子天下股份有限公司, 2023.08　52面；16.5x16公分. --（繪本；0334）國語注音
ISBN 978-626-305-515-5（精裝）
1.SHTB：圖畫故事書--3-6歲幼兒讀物
863.599　112008841

文、圖｜賴馬
美術設計｜賴曉妍、賴馬
封面內頁手寫字｜賴咸穎、賴俞蜜
責任編輯｜黃雅妮
mini 版責任編輯｜蔡忠琦
mini 版美術編輯｜王瑋薇
行銷企劃｜高嘉吟

天下雜誌群創辦人｜殷允芃
董事長兼執行長｜何琦瑜
媒體暨產品事業群
總經理｜游玉雪　副總經理｜林彥傑　總編輯｜林欣靜
行銷總監｜林育菁　資深主編｜蔡忠琦
版權主任｜何晨瑋、黃微真

出版者｜親子天下股份有限公司
地址｜台北市 104 建國北路一段 96 號 4 樓
電話｜（02）2509-2800
傳真｜（02）2509-2462
網址｜ www.parenting.com.tw
讀者服務專線｜（02）2662-0332　週一～週五：09:00~17:30
傳真｜（02）2662-6048
客服信箱｜ parenting@cw.com.tw
法律顧問｜台英國際商務法律事務所．羅明通律師
製版印刷｜中原造像股份有限公司
總經銷｜大和圖書有限公司
電話：（02）8990-2588

出版日期｜ 2023 年 8 月第一版第一次印行
定價｜ 300 元
書號｜ BKKP0334P
ISBN ｜ 978-626-305-515-5（精裝）

mini 版之圖文呈現已略作調整，以利閱讀

訂購服務
親子天下 Shopping ｜ shopping.parenting.com.tw
海外．大量訂購｜ parenting@service.cw.com.tw
書香花園｜台北市建國北路二段 6 巷 11 號　電話（02）2506-1635
劃撥帳號｜ 50331356　親子天下股份有限公司

立即購買 >

● 賴馬臉書 https://www.facebook.com/laima0505
賴曉妍臉書 https://www.facebook.com/laihsiaoyen
● 賴馬繪本館粉絲專頁 https://www.facebook.com/laima0619

關於賴馬

1968 年生，27 歲那年出版第一本書《我變成一隻噴火龍了 !》
即獲得好評，從此成專職的圖畫書創作者。
在賴馬的創作裡，每個看似幽默輕鬆的故事，其實結構嚴謹，
不但務求合情合理、還要符合邏輯，每有新作都廣受喜愛。
2014 年出版的《愛哭公主》榮獲兒童及少年圖書金鼎獎，
更於 2016 年榮獲博客來年度最暢銷作華文作家，
《生氣王子》、《勇敢小火車》、《最棒的禮物》等作品也深受國內外讀者喜愛，
創下亮眼的銷售成績，足以顯示賴馬在圖畫書世界的魅力。

我變成一隻噴火龍了！

文圖．賴馬

有一隻蚊子名字叫波泰，
牠最喜歡吸愛生氣的人的血。

嘿嘿，今天的目標
就是他了。

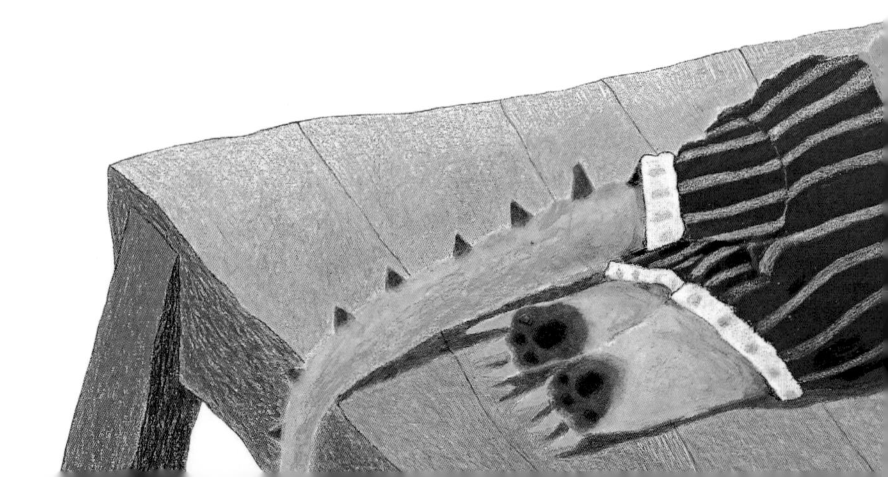

古怪國的阿古力
很愛生氣。

今天一大早，
阿古力就被波泰
叮了一個包。

他當然非常生氣。

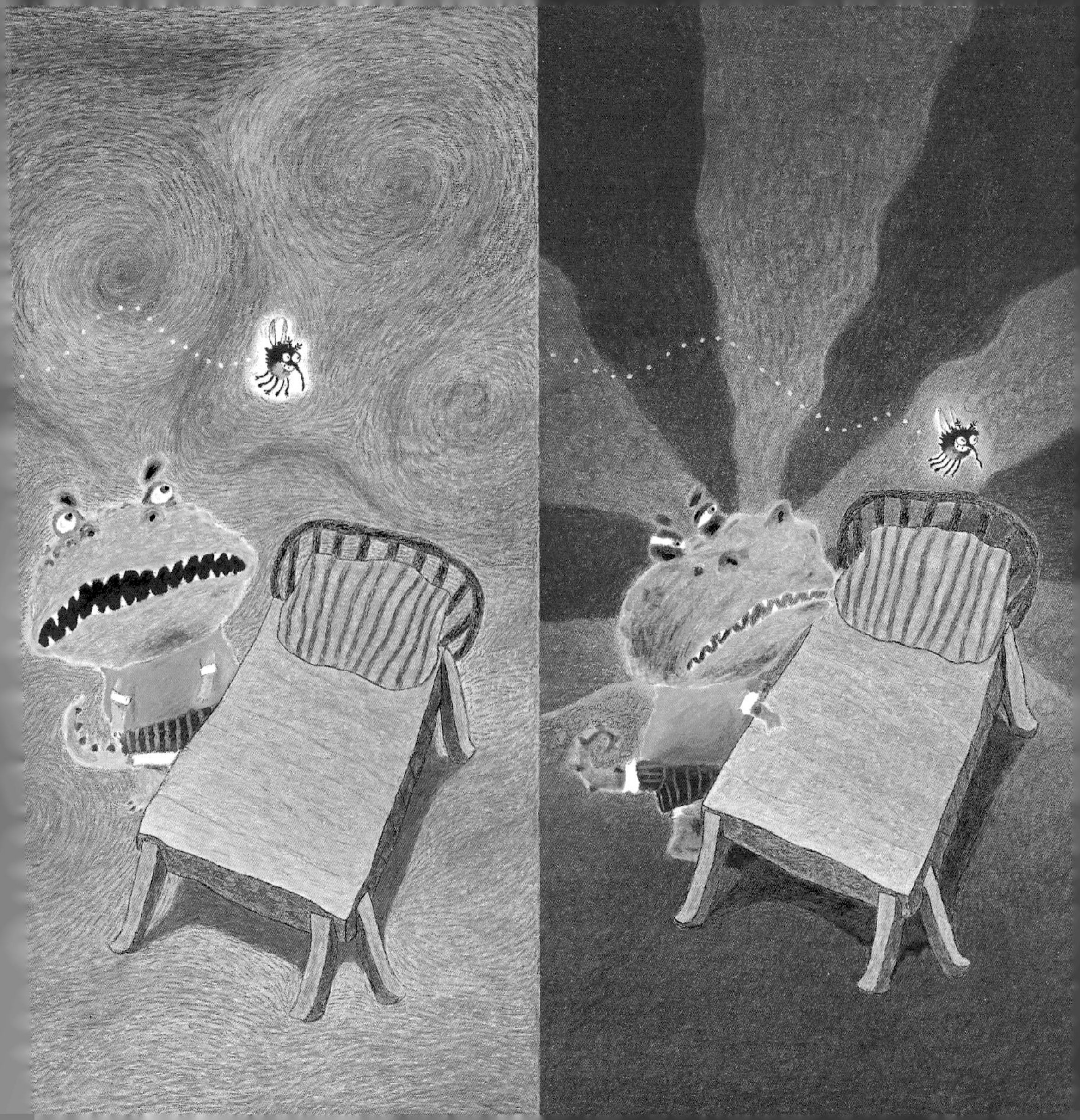

「哇，他是我看過火氣最大的怪獸！」波泰說。原來，波泰是隻會傳染噴火病的蚊子。

我變成

一隻噴火龍了！

他只要一開口，就會有火冒出來，鼻子的火更是二十四小時噴個不停。

你知道一隻怪獸會噴火，
有多麼不方便嗎？
當他肚子餓的時候……
他的漢堡變成
燒焦的炭堡。

當他睡前要刷牙的時候……

「啊！ 我的牙刷！ 」

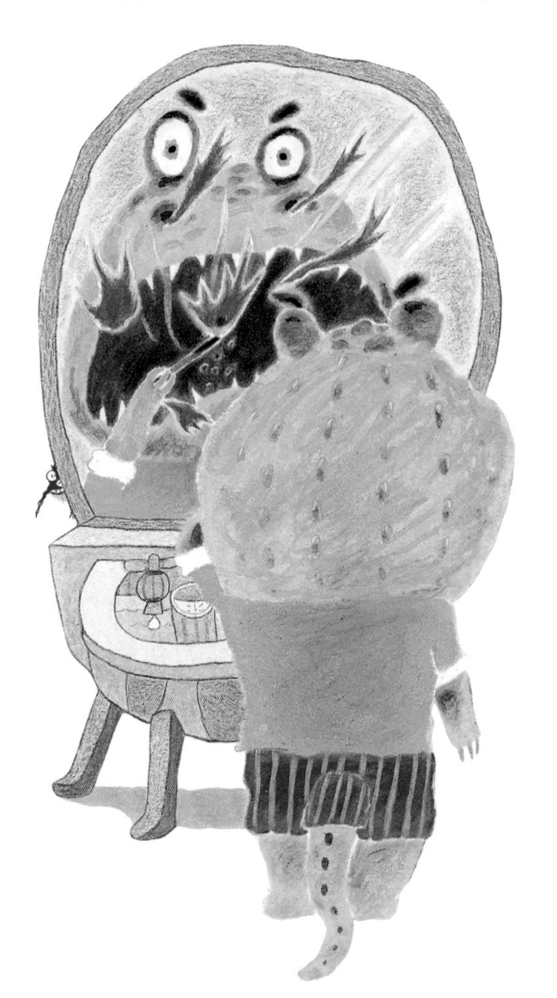

就連玩具也……

連鄰居也慘遭他的毒火。

才一會兒功夫，
他就燒掉一間
房屋，兩棵樹和
三個郵筒。
打噴嚏的時候，
還燒到他的好朋友
吉普拉。

快救火！
我的尾巴！

古怪國的居民，
都不敢接近他。

看不見我！
怕怕~
躲到水池裡！

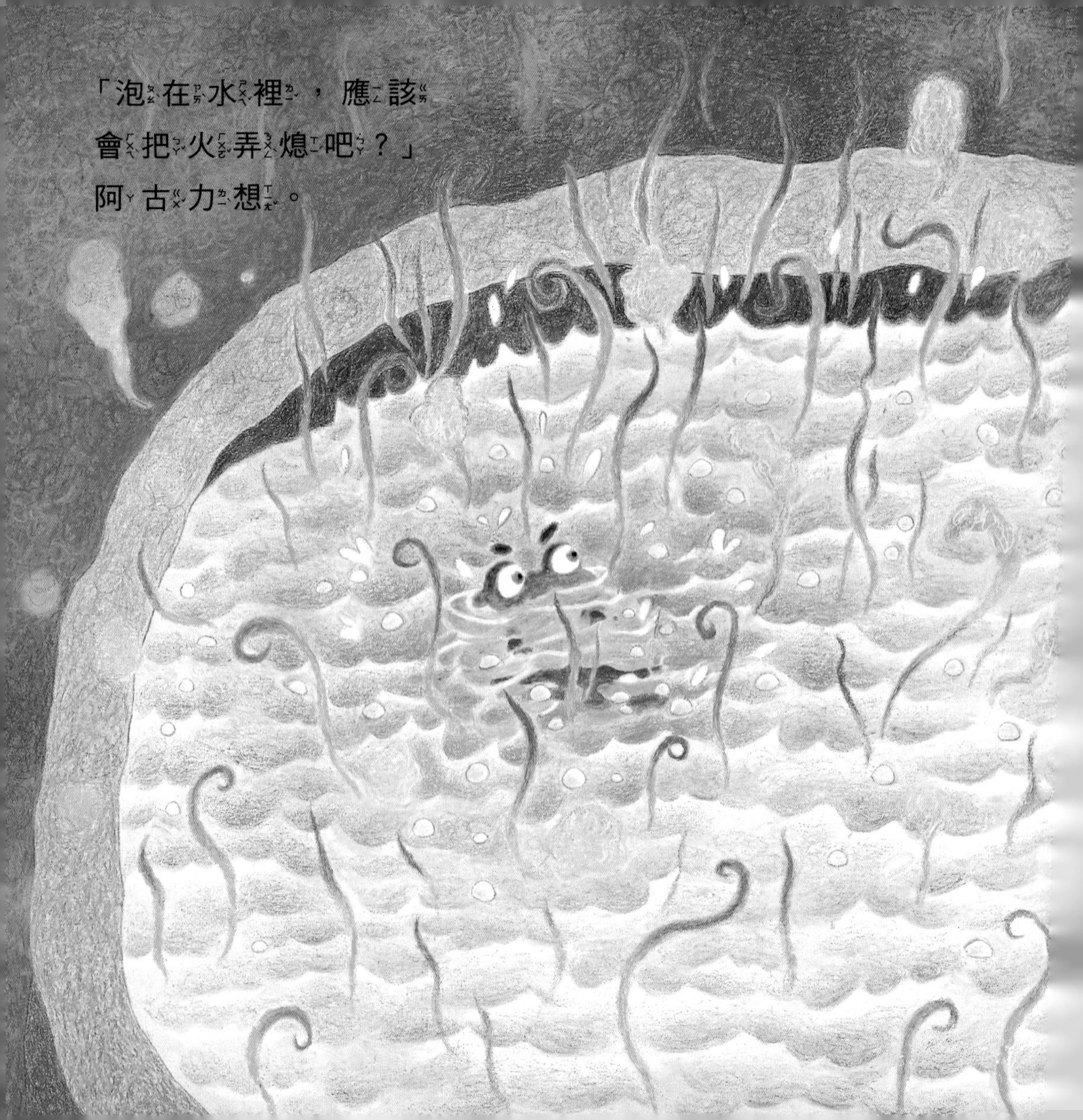

「泡在水裡，應該會把火弄熄吧？」阿古力想。

快逃啊！
救命啊！
「哇！好燙！
變成火鍋料了。」
好燙！
古怪國的居民都
飛快的逃出水池。

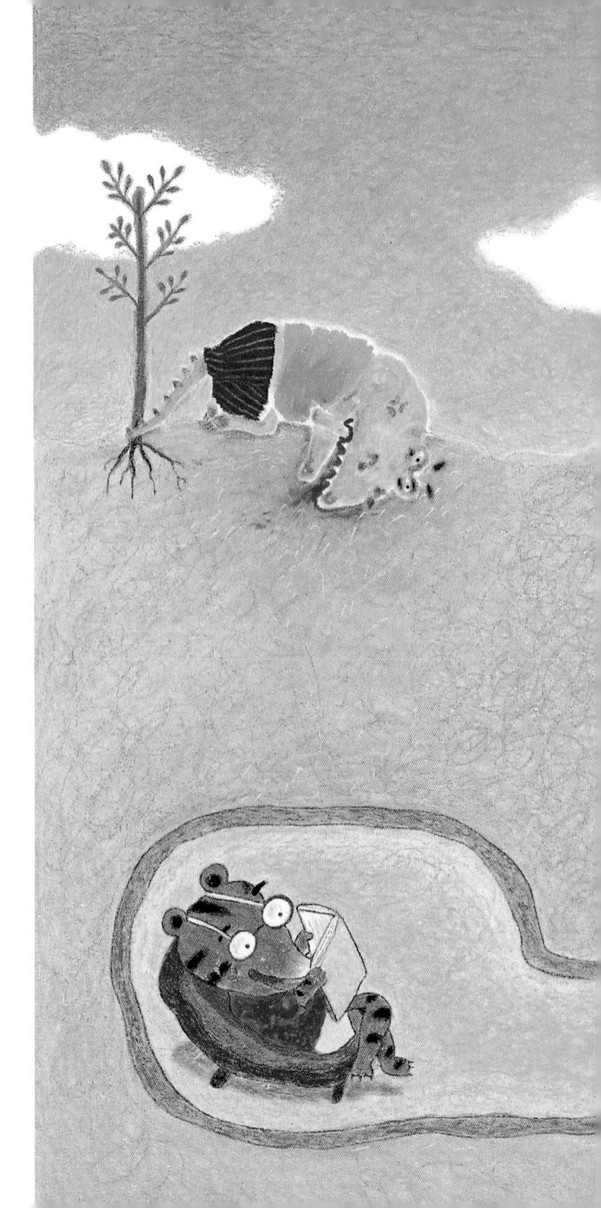

「泡在水裡不行，

埋進沙堆試試看！」

阿古力想。

咦？怎麼
越來越熱了
熱死人啦！

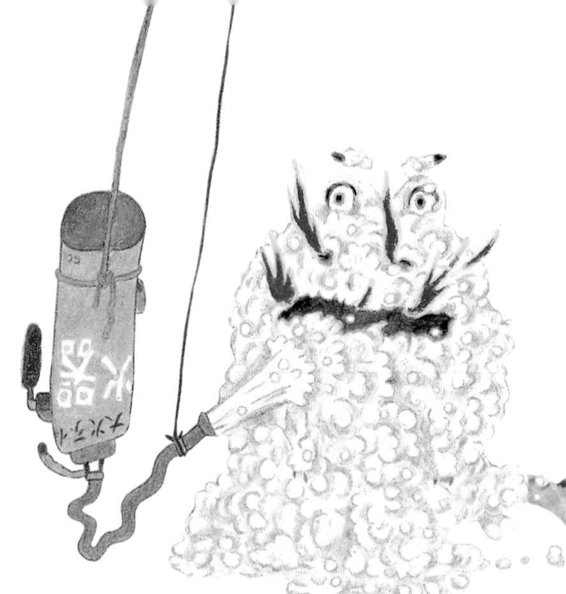

「用滅火器好了！」

「躲進冰箱裡，
總可以了吧？」

「吹熄它。」

「哈哈，他以為在過生日、
吹蠟燭呢！」蚊子波泰說。

「沒辦法了吧！」波泰說。

可憐的阿古力……

又餓又累的阿古力，傷心的哭了起來，眼淚、鼻涕直流。

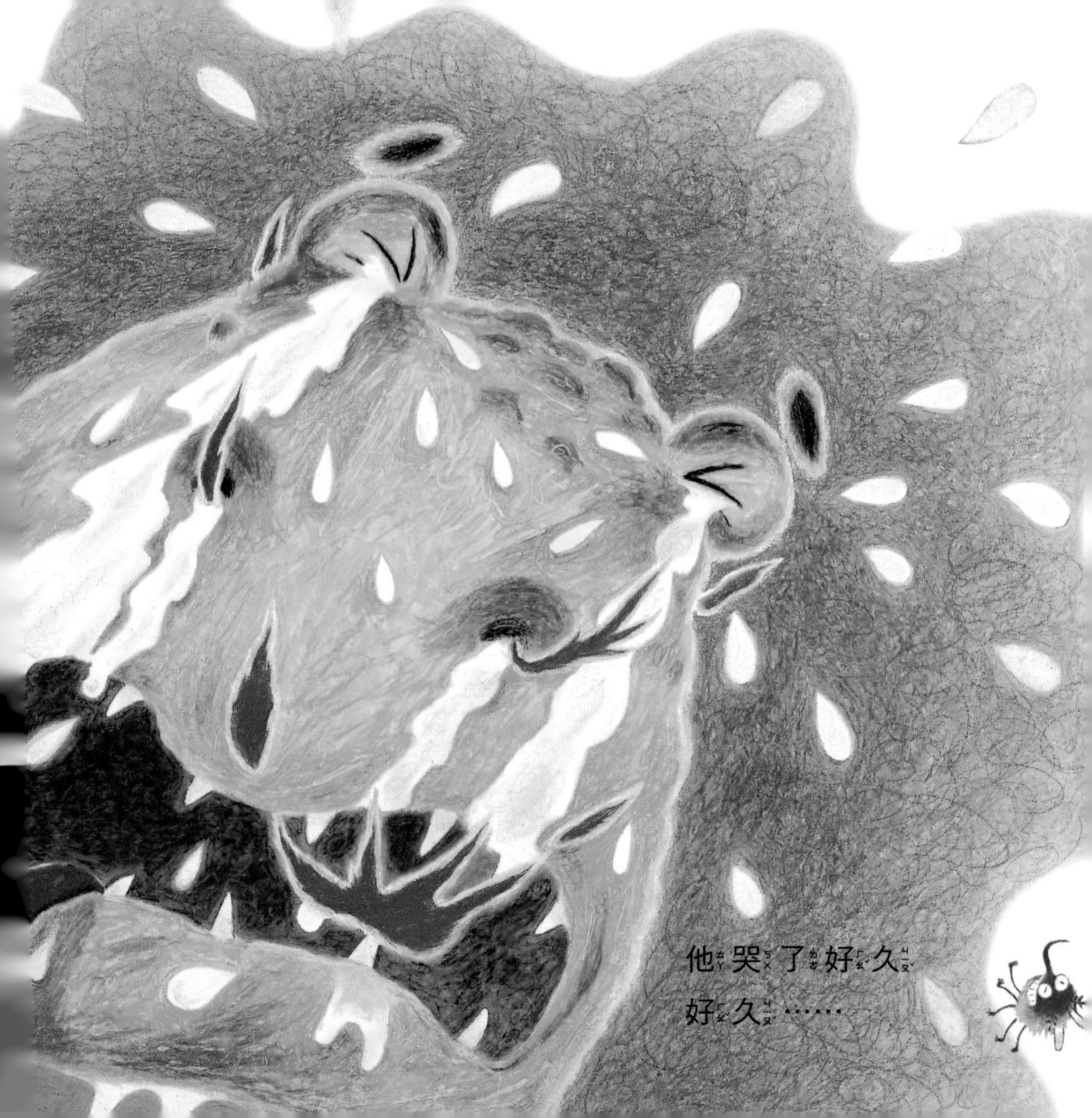
他哭了好久
好久……

沒想到……

鼻水和淚水，
竟然把火給澆熄了。

呃……
萬歲！
太好了！

「太好了！太好了！」阿古力笑了起來。

古怪國的居民都開心的歡呼。

「奇怪，他怎麼知道

又哭又笑，大火熄掉！

這個解藥？」

波泰繼續尋找下一個目標。

哈！找到了！